Cyfres Cae Berllan

Yr Ymwelwyr

Heather Amery

Darluniwyd gan Stephen Cartwright

Addasiad Sioned Lleinau

Chwiliwch am yr hwyaden fach felen sydd ar bob tudalen.

Dyma Fferm Cae Berllan.

Mari Morgan sy'n ffermio yma. Mae ganddi ddau o blant o'r enw Cadi a Jac. Gwalch ydi enw'r ci.

Dydd Sadwrn yw hi heddiw.

Mae Mari Morgan, Cadi a Jac yn bwyta brecwast.
'Pam mae'r gwartheg yn brefu cymaint?' holodd Jac.

Rhedodd pawb allan i'r cae.

Mae'r gwartheg yn rhuthro o gwmpas y cae mewn ofn. Mae balŵn fawr yn hofran dros y coed.

'Dacw falŵn aer poeth!'

'Mae'n disgyn hefyd,' meddai Mari Morgan. 'Mae'n glanio yn ein cae ni!' Dyma'r balŵn yn taro'r ddaear.

Mae dau berson yn y balŵn.

'Dyma Fferm Cae Berllan,' meddai Mari Morgan.
'Rydych chi wedi dychryn y gwartheg i gyd!'

Mae'r dyn yn dringo allan.

'Mae'n ddrwg gyda ni, ond mae'r nwy ar ben,'
meddai'r wraig. 'Gwenno ydw i, a dyma Siôn.'

'Mae cerbyd yn ein dilyn ni.'

'Edrychwch!' meddai Gwenno. 'Mae gan ein ffrind
fwy o nwy yn y cerbyd ar gyfer y balŵn.'

Mae Gwenno'n helpu i gario'r nwy.

Gwaith Siôn yw tynnu'r poteli nwy gwag o'r balŵn.
Wedyn, mae'n rhoi'r poteli newydd yn y fasged.

Rhaid llenwi'r balŵn ag aer.

Mae Cadi a Jac yn helpu i ddal ceg y balŵn ar agor
er mwyn i'r peiriant chwythu aer i mewn unwaith eto.

'Hoffech chi roi cynnig arni?'

'O grêt!' meddai Cadi. 'Awn ni ddim yn bell,' meddai Siôn. 'Fe ddaw'r cerbyd nôl â chi.'

Dringa Mari Morgan, Cadi a Jac i mewn.

Dyma Siôn yn tanio fflamau mawr, swnllyd y
peiriant nwy. 'Daliwch yn dynn!' meddai Gwenno.

Dyma'r balŵn yn codi.

Yn araf, mae'n gadael y ddaear. Diffodda Siôn y peiriant nwy. 'Mae'r gwynt yn ein cario,' meddai.

I fyny fry â'r balŵn.

'Edrychwch ar ein fferm ni fan draw,' meddai Cadi.
'Mae Gwenno yn y cerbyd hefyd,' meddai Jac.

'I lawr â ni ffrindiau,' meddai Siôn.

Mae'r balŵn yn disgyn yn araf a'r fasged yn glanio'n y cae. Helpa Mari Morgan Cadi a Jac i ddod allan.

'Diolch yn fawr iawn.'

Mae pawb yn codi llaw wrth i'r balŵn godi unwaith eto. 'Dyna braf oedd cael hedfan,' meddai Jac.

Cynllun y clawr: Hannah Ahmed   Gwaith digidol: Sarah Cronin

Cyhoeddwyd gyntaf gan Usborne Publishing Ltd., Usborne House, 83–85 Saffron Hill, Llundain EC1N 8RT. www.usborne.com

Hawlfraint © Usborne Publishing Cyf., 2004, 1989.

Cedwir pob hawl. Ni chaniateir atgynhyrchu unrhyw ran o'r cyhoeddiad hwn na'i gadw mewn cyfundrefn adferadwy na'i drosglwyddo mewn unrhyw ddull na thrwy unrhyw gyfrwng, electronig, electrostatig, tâp magnetig, mecanyddol, ffotogopïo nac fel arall, heb ganiatâd ymlaen llaw gan y cyhoeddwyr, Gwasg Gomer, Llandysul, Ceredigion. Teitl gwreiddiol: *Surprise Visitors*.

Dymuna'r cyhoeddwyr gydnabod cymorth Adrannau Cyngor Llyfrau Cymru.

Cyhoeddwyd yn 2005 gan Wasg Gomer, Llandysul, Ceredigion SA44 4JL. Argraffwyd yn China.